MANO A MANO

los platos salados de el piano

LIBRO DOS • BOOK TWO

el piano's savouries

HANDING IT ON

Magdalena Chávez &

FLORENCE MILLETT SIKKING

MIKE JACKSON

Mayra Marín Salazar

Meryl Batlle

Elisa Morales

SALLY MARSHALL

Francesca Yeeles

www.el-piano.com

prueba de recetas - recipe testers
Francesca Yeeles
Mayra Marín Salazar
Mike Jackson
Elisa Morales
Meryl Batlle

traducciones - translations
texto - text - Carolina Garcés Morales
recetas - recipes - Meryl Batlle

consulta de idiomas - language consultants
Meryl Batlle
Florence Millett Sikking
Francesca Yeeles
Elisa Morales

first published 2009 by
SQUAW PIES
an imprint of
COLLAGE INTERNATIONAL LTD

agradecimientos - acknowledgements

Me parece ridículo, si no una mentira, cuando alguien pone su nombre como escritor de un libro de cocina.

Un libro de cocina, de todas las obras de literatura que hay, es posiblemente el único que no se puede escribir solo. Por lo menos alguien tiene que proveer los ingredientes o comer lo que resulta, y al mismo tiempo la gente tiene que verificar que las recetas sean correctas...

En todo, he tenido mucha suerte. Durante años, he contado con proveedores de la mejor calidad, mucha gente dispuesta a comer, y un montón de cocineros jóvenes, imaginativos, críticos, y sobre todo, RÁPIDOS...

Ha sido un privilegio trabajar con cocineros profesionales y no profesionales, por todo el mundo. Cada uno de ellos ha sido genenerosoo con su conocimiento, el cual se refleja en muchos de los consejos y trucos de estas páginas.

Y, por supuesto, al final, está USTED.

Años y años ha venido a comer con nosotros a El Piano, ha apreciado nuestros esfuerzos y ha contribuido a pagar nuestros sueldos. Gracias. Espero que usted se sienta orgulloso de nuestros logros, que de alguna manera, son también suyos.

It strikes me as a ludicrous claim when someone attaches their name to a cookbook as the author.

A cookbook, of all literary efforts, has to be the one type of book it is impossible to write alone. At the very least someone else has to provide the ingredients, or eat the results, notwithstanding the many who should test if the recipes work.

I have been lucky in all of this. Years of first rate suppliers, plenty of willing guinea pigs and a slew of younger cooks, all inventive, critical and above all, FAST...

And I have had the great privilege to work with domestic and professional cooks the world over. Each of them has been generous with their knowledge. Many will find their tips and tricks in these pages.

Finally of course there has been YOU.

Years and years you have come to eat with us at El Piano, praised our efforts and paid our wages. Thank you. I hope you are proud of our achievements.
In many ways they are yours.

ACERCA DE ESTE LIBRO
ABOUT THIS BOOK

En El Piano nuestra propuesta se basa en dos aspectos: simplicidad y calidad. De este modo, la mayoría de los platos sugeridos contiene una media de cinco ingredientes y no lleva más de cinco pasos en hacerse. Sin duda, tenemos que cocinar platos que sean de fácil preparación. La plantilla tiene que aprender nuevas técnicas rápidamente. Así seguimos con los precios asequibles. La idea es que no sea un lujo comer con nosotros, sino que muchos lo puedan hacer regularmente.

Para facilitar la realización de nuestras recetas, usamos las mismas medidas de volumen para todo. Por ejemplo, teniendo de referente los 500ml de una jarra y una tarrina vacía de margarina de 500g ganamos mucho tiempo. Así que, cuando hablamos de 250ml de harina, significa eso; llenar de harina la medida de líquidos hasta la señal de 250, ¡así de fácil! Para referirnos a muy pequeñas cantidades las medimos con cucharadita (cdita), la cual equivale aproximadamente a 5ml, mientras que la cucharada (cda) contiene 150ml. Y sólo excepcionalmente, usamos el peso para hablar de verduras.

La verdad es que la cocina es probablemente la última tradición oral en el mundo desarrollado, así que, escribirla y reescribirla, como me he propuesto aquí, no me gusta mucho. Casi todas las recetas que he aprendido me han sido mostradas. Por lo tanto, la idea de este libro ha sido, desde el principio, escribir las recetas de manera clara y simple.

At El Piano our food expertise is based on two things; keeping it simple and using the best ingredients. Most dishes have around five ingredients and few take more than five steps to make. For us, something fabulous to tempt people is essential. At the same time we have to be able to make it quickly and our staff need to be able to grasp the techniques rapidly. This is so that we can keep the prices within reach of people and they can eat with us regularly, as indeed many do.

We tend to cook using volume measure for everything. It is faster to reach and use the same receptacle for every addition to the recipe. In our case this is almost always a 500ml measure, either a measuring jug, or an empty 500g margarine tub. So when we say 250ml of flour, we mean that, fill the measure for liquids to the 250ml mark with flour. Spoons for spices and other smaller amounts are tsp, a teaspoon, which is about 5ml, and Tbl, a tablespoon, which is about 150ml. Some exceptions are vegetables where we use weights.

The truth is that food preparation is probably the last oral tradition in the developed world. For me, writing down how to make this or that does go against the grain. Almost everything I know in the kitchen I was shown. The rest I know from what I have eaten, and then figured out how to make it by working backwards. So we have tried to keep the writing simple.

Each recipe has as the background a photo of the food from El Piano. The ingredients needed are both

ACERCA DE ESTE LIBRO
ABOUT THIS BOOK

Generalmente nuestras recetas son para entre 4 y 6 comensales. Los ingredientes necesitados se encuentran entre líneas en el texto para evitar la repetición, pero al estar subrayados y en negrita hace que con tan sólo una mirada rápida, el lector-creador sepa lo que requerirá. Los únicos ingredientes que no hemos considerado necesario resaltar, son el agua y la sal, por ser componentes indispensables de toda cocina. Toda nuestra comida, excepto alimentos con tofu, se puede congelar.

Habiéndose mencionado, a groso modo, el contenido e intención del libro, cabe decir que éste no es un libro para principiantes. Aunque recopila un buen número de recetas que pueden ser abordadas fácilmente por neófitos, tales como la ensalada de Champiñones y Albahaca, hay otras que requieren ciertos conocimientos. Pero esperamos que todos sean capaces de desenvolverse en la cocina y elaborar algunas de las recetas...

En El Piano creemos que cocinar no es tan sólo una diversión, ni un juego de creatividad, ni una rutina diaria necesaria para sobrevivir. Es todo esto y más. Esperamos que este libro añada algo divertido y creativo a la rutina diaria que es cocinar.

Magdalena Chávez
Cocinera Principal - Senior Cook
Granada, 2009

underlined and in **bold** in the text to avoid repetition. Since there are few per recipe, it is easy to see what is needed at a glance. Water and salt are never underlined as most kitchens always have both. Generally we have offered quantities that are suitable for 4-6 people. All of the food, except dishes containing tofu, will freeze.

Having said all that, this is not strictly speaking a book for beginners. There are recipes that beginners can easily tackle, Mushroom and Basil salad for example is hardly a stretch. But there is an assumption on our part that readers do know their way around the kitchen, and if they do not, then they at least have the interest and the wit to find their way around one.

At El Piano we believe that preparing food is not just a joy, not just creative, and not just a daily chore that is essential to life. It is all of these. We hope this book will add something to the joy, the creativity and the chore!

CONTENIDO

CONTENTS

		sin - no	***sal*** salt	***azúcar añadido*** added sugar	***grasa añadida*** added fat	***ajo*** garlic
MEDIO ORIENTE	56	***faláfel*** - falafels		•		
	57	***hummus***		•	•	
	58	***tabuleh***		•		•
	59	***mini-shish kebab***		•		
	60	***baba ganoush*** - aubergine pâté	•	•	•	•
	61	***champis turcos*** - mud mushrooms		•		
	62	***mijo marroquí*** - moroccan grain		•	•	
	63	***keema máthar***		•		
	64	***blinis***		•		•
ORIENTAL	66	***ensalada jade*** - jade salad				•
	67	***sushi frito*** - fried sushi	•	•		•
	68	***ensalada tailandesa*** - thai salad	•			
	69	***wok chino*** - chinese stir-fry	•	•		•
	70	***wok tailandé***s - thai thai		•		•
	71	***berenjenas bangkok*** - bangkok aubergine	•			
	72	***verduras agridulce*** - sweet & sour vegetables	•	•		•
EUROPA del NORTE	74	***ensalada patatas*** - potato salad				•
	75	***patatas al romero*** - rosemary potatoes		•		•
	76	***pâté de boniatos*** - sweet potato mousse				•
	77	***patatas cremosas*** - creamy potatoes		•		•
	78	***empanadas*** - turnovers		•		•
	79	***pastel de pastor*** - shepherd's pie		•		•
	80	***lombarda horneada*** - baked red cabbage			•	•
	81	***colslaw***				•
	82	***ensalada de manzana*** - apple salad	•	•	•	•

sabores de • flavours of
áfrica
tropical salad • ensalada tropical • simis • mani mani • ground nut stew
plátanos al curry • banana curry • curry de frutas con pimienta verde
fruit curry with green peppercorns

TROPICAL

Pelar y cortar en daditos: 1 ***mango****, la mitad de 1* ***piña****, 2* ***kiwis*** *y 2* ***naranjas***

•

Peel & cut 1 **mango**, ½ **pineapple**, 2 **kiwi** fruits & 2 **oranges** into stamp-size pieces

Picar 6 ramas de ***cilantro*** *(una vez picado debería ser 100ml)*

•

Chop & add 6 stems of fresh **coriander** (100ml by volume once chopped)

Espolvorear con ***pimienta negra***

•

Sprinkle with **ground black pepper**

Mezclar y servir

•

Toss & serve

SIMIS

1

*Cocinar 1kg de **patatas** y hacerlas puré con sal al gusto*

•

Cook and mash 1kg of **potatoes**. Salt to taste

2

*Añadir 2 cdas de **pasas** y 2 cdas de **mango** troceado*

•

Add 2 Tbl each of **raisins** & chopped **mango**

3

*Añadir 2 cdas de **cebollas** picadas y 2 cdas de **maíz***

•

Add 2 Tbl diced **onions**, and 2 Tbl **sweetcorn**

4

*Añadir 1 cda de **curry Madras***

•

Add 1 Tbl **Madras curry powder**

5

*Hacer una masa con 250ml (volumen) de **harina de garbanzos**, 750ml de agua y un poco de sal.*

•

Make a batter with 250ml (by volume) **gram flour**, 750ml water & a little salt

6

Formar bolas con la masa de patatas (tamaño de pelotas de ping-pong)

•

Form ping pong-size balls with the potato mix

7

*Submergir cada bola en la masa de harina de garbanzos y freír en abundante **aceite de girasol** hasta que esté dorada*

•

Submerge each ball in the gram flour batter. Then fry in **sunflower oil** until golden

mani mani

1. *Picar finamente 1 **cebolla** grande, 1 **pimiento verde** y 1 **pimiento rojo***

   •

   Finely chop 1 big **onion**, 1 **red pepper** & 1 **green pepper**

2. *Sofreír en **aceite de girasol** hasta que esté todo cocido*

   •

   Sauté in **sunflower oil** until tender

3. *Añadir 2 cdas de **comino en grano**, 4 cdas de **cúrcuma** y 1 cda de sal*

   •

   Add 2 Tbl **cumin seeds**, 4 Tbl **haldi** & 1 Tbl salt

4. *Añadir 8 **tomates** cortados en dados, 500ml de **habas fritas** batidas y 500ml de agua*

   •

   Add 8 **tomatoes** finely chopped, 500ml crushed **toasted broad beans** and 500ml water

5. *Mantener a fuego lento hasta que esté todo cocido y los sabores bien combinados*

   •

   Simmer gently until well cooked so the flavours combine well

PLATANOS
al curry

*Sofreír en **aceite de girasol** 1 cdita de **jengibre** y otra de **ajo** rallado, con 1 **cebolla** picada hasta que estén dorados*

•

Sauté in hot **sunflower oil** until golden, 1 tsp each of **ginger** & **garlic** with ½ finely chopped **onion**

*Añadir 1 cda de **curry Madras** y sofreír 1 minuto más*

•

Add 1 Tbl of **Madras curry powder** & fry 1 more minute

*Añadir 100g de **crema de coco** y 500ml de agua*

•

Add 100g **creamed coconut** & 500ml of water

*Añadir 6 **plátanos** pelados y cortados en rodajas y sofreír 2 minutos más*

•

Add 6 peeled **bananas** sliced in circles & fry a further 2 minutes

*Cuando esté espeso añadir sal al gusto y 6 ramas de **cilantro** fresco picado. Servir*

•

Once thickened, add salt to taste and 6 stems of chopped fresh **coriander**. Serve

curry de **frutas** *con pimienta verde*

1

Cortar en rodajas 2 ***plátanos****, 2* ***kiwis*** *y 2* ***manzanas****. Apartar en un bol*

•

Slice 2 each of **bananas**, **kiwis**, **apples**. Set aside

2

Añadir la mitad de 1 ***piña****, finamente cortada, y los granos de 1* ***granada*** *ó 10* ***uvas*** *cortadas en láminas*

•

Add ½ a ripe **pineapple** finely sliced & the seeds of a **pomegranate** or 10 red halved & seeded **grapes**

3

Mezclar 50ml de algún ***zumo amarillo*** *con 1 cda* ***maicena*** *y apartar*

•

Reserve 3 Tbl from 500ml of any yellow **fruit juice**, mixed with 1 Tbl of **cornflour**. Set aside

4

Cocinar otros 450ml del zumo con 3 ***guindillas rojas*** *enteras, 1 cdita de* ***curry en polvo****, una pizca de sal y 2 cdita de* ***pimienta verde en grano***

•

Cook the rest of the 500ml with 3 whole **red chillies**, 1 tsp **curry powder**, pinch of salt & 2 tsp **green peppercorns**

5

Cuando el líquido hierva, añadir la pasta de maicena y remover constantemente. Cuando espese verter encima de la fruta cortada

•

When the liquid boils add the cornflour paste & stir constantly. When thickened pour over the sliced fruit

6

Decorar con ***coco*** *tostado rallado*

•

Garnish with toasted grated **coconut**

MIGAS *de maíz*

1

*Mezclar 500g de **sémola de maíz** con 800ml de agua, 200ml de **aceite de oliva** y una pizca de sal*

•

Mix 500g coarse **polenta** with 800ml water plus 200ml **olive oil** & 1 tsp salt

2

Tapar y cocinar 10 minutos en el microondas, mover y cocinar 10 minutos más, o...

•

Microwave covered for 10 minutes, stir & microwave a further 10 minutes or...

3

...alternativamente cocinar a fuego medio lento 10 minutos removiendo constantemente hasta que todo el líquido se haya absorbido

•

...alternatively cook on a medium heat for 10 minutes, stirring constantly, until all the liquid is absorbed

4

Tómese un vaso de vino...(sólo verificamos que sigue leyendo...)

•

Have a glass of wine (just checking you are still reading...)

5

*Mientras, sofreír 12 dientes enteros de **ajo**, 1 **cebolla** y 1 **pimiento verde** picado en aceite de oliva*

•

Meanwhile fry until brown 12 whole unpeeled **garlic cloves**, 1 sliced **onion** & 3 large chopped **green peppers** in olive oil

6

Coger la sémola y desmigarla hasta que quede suelta

•

Crumb the polenta finely by hand

7

Añadir el ajo, la cebolla, el pimiento y servir

•

Fold in the fried garlic, onions & peppers & serve

ENSALADA GRANADA

1

Cortar los tallos de 3 ***brócolis*** *dejando sólo los cogollitos*

•

Chop the stalks off 3 heads of **broccoli** so that only the florets remain

2

Desmenuzarlos en pequeños trozos

•

Strip the florets into tiny pieces

3

Añadir los granos de 2 ***granadas***

•

Add the seeds of 2 **pomegranates**

4

Aliñar con 400g de ***tofu*** *batido con 1* ***melocotón****, 8* ***fresas*** *o 1* ***mango***

•

Dress with 400g of **tofu** whizzed with a **peach**, a **mango** or 8 **strawberries**

5

Añadir ***azúcar*** *o* ***sirope de agave*** *al gusto*

•

Sweeten to taste with **sugar** or **agave syrup**

berenjenas horneadas

1

Primero preparar una salsa: batir 1 ***pimiento rojo*** *con 1 cda de semillas de* ***hinojo*** *y 6* ***tomates***

•

Blend a sauce of 1 **red pepper**, 1 Tbl **fennel seeds** & 6 **tomatoes**

2

Cortar 2 ***berenjenas*** *grandes en rodajas circulares y poner en una fuente para horno*

•

Slice 2 large **aubergines** in circles & lay them in a baking dish

3

Verter la salsa encima

•

Pour the sauce over the aubergines

4

Hornear durante 50 minutos a 150ºC

•

Bake 50 minutes in a medium oven

5

Adornar con ***albahaca*** *fresca*

•

Garnish with fresh **basil**

PAPAS

A LO POBRE

1

*Echar 2 cditas de sal a 1kg de **patatas** cortadas en rodajas*

•

Cut 1kg of **potatoes** into rounds, salt with 2 tsp salt

2

*Cortar en juliana 1 **pimento verde** grande*

•

Cut 1 large **green pepper** in strips

3

*Cortar 1 **cebolla** en medias lunas*

•

Cut 1 **onion** into half moons

4

Escurrir las patatas

•

Drain the potatoes

5

*Freír todo en **aceite de oliva** hasta que las patatas estén blandas*

•

Shallow fry everything in **olive oil** until the potatoes are soft

tortilla Española

1

*Freír en **aceite de oliva** 4 **patatas** (1kg) y 1 **cebolla** cortadas en dados con sal al gusto*

•

Cut 4 **potatoes** (1kg) & 1 **onion** into cubes. Fry in **olive oil** with salt

2

*Mezclar 250ml de **harina de garbanzos** con una pizca de sal y suficiente agua fría para obtener una consistencia parecida a la de huevos batidos*

•

Mix 250ml **gram flour** & 1 tsp salt with cold water until it is the consistency of beaten eggs

3

Añadir las patatas y poner la masa en una sartén con un poco de aceite de oliva

•

Add the potatoes. Pour the mix into a frying pan with a little olive oil

4

Cuando la masa esté seca por los bordes la tortilla está lista para darle la vuelta

•

When the mix is dry at the edges it is ready to turn

5

Mojar un plato más grande que la sartén. Colocar el plato encima

•

Wet a plate larger than the frying pan. Invert the plate over the pan

6

En un movimiento, voltear la sartén de manera que la tortilla esté en el plato

•

In one movement turn the pan so that the tortilla is on the plate

7

Ahora volver a poner la tortilla en la sartén. La parte inferior, menos hecha, boca abajo en la sartén

•

Now return the tortilla to the pan, sliding it off the wet plate, the raw side down, into the pan

8

Volver a cocinarla. Cuando la tortilla esté consistente está lista para comer

•

Return to the heat. When the tortilla is solid to the touch, it is ready

morcilla

1

Picar 500g de ***setas****, 500g de* ***berenjenas*** *y 1kg de* ***cebollas****. Freírlo todo en* ***aceite de oliva*** *hasta que esté cocido pero no dorado*

•

Chop & fry in **olive oil** until fully cooked but not brown 500g **oyster mushrooms**, 500g **aubergines**, 1kg **onions**

2

Quitar del fuego y añadir 500g de ***harina de arroz****, 1 cdita de* ***clavo molido****, 2 cditas de* ***pimentón dulce****, 1 cdita de* ***canela molida****, 2 cditas de* ***semillas de hinojo*** *y 1 cdita de sal*

•

Remove from the heat & add 500g **rice flour**, 1 tsp **ground cloves**, 2 tsp **sweet paprika**, 1 tsp **ground cinnamon**, 2 tsp **fennel seeds** & 1 tsp salt

3

Ahora puede rellenar 1 ***tripa sintética*** *con la masa, cerrando bien ambas puntas con* ***cuerda****. Picar la tripa con una* ***aguja*** *y hervir 5 minutos en agua...*

•

Either, stuff **synthetic tripe**, tie off both ends with **string**, pierce the tripe with a **needle** and submerge 5 minutes in boiling water, OR...

4

...o, poner la masa en una bandeja y hornear a 170ºC 20 minutos y cortar en trozos

•

...press the mix into a baking tray and bake at 170°C for 20 minutes & cut into squares

sabores de • flavours of
la india • india
bhajis • samosas • sag aloo • kofta • sakina • dhal • calabaza al curry
pumpkin curry • tarka dhal • frito seco

BHAJIS

Calentar abundante ***aceite de girasol***

•

Heat sufficient **sunflower oil** for deep frying

Cortar 2 ***cebollas*** *en medias lunas*

•

Cut 2 **onions** into half moons

Añadir 1 cdita de sal, 2 cditas de ***curry Madras*** *y 2 cditas de* ***comino en grano***

•

Add 1 tsp salt, 2 tsps each of **Madras curry powder** & **cumin seeds**

Remover y dejar durante 30 minutos hasta que las cebollas se pongan blandas

•

Mix & leave 30 minutes until the onions soften

Añadir 250g de ***harina de garbanzos*** *para formar la masa. Añadir agua si es necesario*

•

Add 250g of **gram flour** (chick pea flour) & mix to a paste. Add water as necessary

Con las manos mojadas formar bolitas y freírlas en el aceite caliente

•

With wet hands drop the mix in ball-size pieces into the hot oil

Sacar las bolitas cuando estén doradas... ¡BHAJIS!

•

Remove the balls when they are golden... BHAJIS!

SAMOSAS

1

Preparar una macedonia de verduras cocidas: 150g de ***patatas****, 100g de* ***zanahorias****, 50g de* ***guisantes*** *o de* ***habitas*** *y 100g de* ***cebollas***

•

Boil until soft, then drain, a mix of cubed vegetables: 150g **potatoes**, 100g **carrots**, 50g of **peas** or **beans** & 100g of **onions**

2

Añadir 1 cdita de ***curry Madras****, 1 cdita de* ***comino en grano****, una pizca de sal y 1 rama de* ***cilantro*** *picado*

•

Add 1 tsp **Madras curry powder**, 1 tsp **cumin seeds**, pinch of salt & a bunch of chopped **fresh coriander**

3

Para sellar las costuras de las samosas, preparar un 'pegamento': 100g de ***harina de sarraceno*** *o de* ***garbanzos*** *y agua hasta que se ponga pegajoso*

•

Mix a sticky 'glue' of 100g of either **buckwheat flour** or **gram flour** with water

4

Precalentar la plancha y calentar ***tortillas de maiz*** *hasta que se pongan plegables, sin aceite*

•

Pre-heat a dry griddle or frying pan & heat **corn tortillas** until they are pliable

5

Formar las samosas, doblando las tortillas en triangulos, y pegando las costuras

•

Form the samosas, folding them into triangles & gluing the seams

6

Volver a colocarlas en la plancha, las costuras boca abajo, un par de minutos para sellarlas bien

•

Put them back on the griddle surface, seams downwards, for a few minutes to seal them

7

Freír en abundante ***aceite de girasol*** *hasta que se doren*

•

Deep fry in **sunflower oil** until they are golden

Saag Aloo

1

Cortar 2kg de ***patatas*** *en dados de 1cm. Añadir 3* ***guindillas rojas*** *picadas, 1 cdita de* ***cilantro en grano****, 1 cdita de* ***ajo*** *rallado y 1 cdita de* ***jengibre*** *rallado*

•

Cut 2kg **potatoes** into 1cm cubes. Add 3 chopped **red chillies**, 1 tsp **coriander seeds**, 1 tsp grated **garlic** & 1 tsp grated **ginger**

2

Sofreír en ***aceite de girasol*** *hasta que las patatas estén cocidas. Añadir 2 cditas de* ***cúrcuma*** *y seguir cocinando a fuego lento*

•

Sauté in **sunflower oil** until the potatoes soften. Add 2 tsp **haldi** & continue on a low heat

3

Mientras, cortar y lavar 3 manojos de ***espinacas*** *(1kg) y dejar en un bol aparte*

•

Meanwhile chop & wash 3 bunches of **spinach** (1kg). Set aside

4

Cuando las patatas estén cocidas verter encima de las espinacas. Añadir sal al gusto y mezclar hasta que el calor de las patatas cueza las hojas de las espinacas

•

When the potatoes are fully cooked pour them over the spinach. Add salt to taste & turn with the spinach until the heat of the potatoes wilts all the leaves

KOFTA

1

*Sofreír 1 **cebolla** picada en **aceite de girasol***

•

Sauté 1 chopped **onion** in **sunflower oil**

2

*Añadir 250g de **carne de soja texturizada fina**, 1 cda de **pimentón picante**, 1 cda de **curry**, ½ cda de **cayena** 500g de **tomates** triturados y 2 cditas de sal*

•

Add 250g **soya mince** (TVP), 1 Tbl each **paprika**, & **curry powder**, ½ Tbl **cayenne**, 500g sieved **tomatoes** & 2 tsp salt

3

Cocer durante 5 minutos, removiendo constantemente

•

Cook 5 minutes stirring continuously

4

*Apagar el fuego. Añadir 1 manojo de **cilantro** picado y 250g de **harina de garbanzos**. Formar una masa*

•

Remove from heat & mix in a bunch of chopped fresh **coriander** & 250g **gram flour**

5

Formar bolitas del tamaño de pelotas de golf y freír en abundante aceite de girasol

•

Form the mix into golf ball-size balls & deep fry in sunflower oil

6

*Servir en una salsa hecha con 1 **cebolleta** picada, sofrita en aceite de girasol con 1 **guindilla roja**, 1 cda de **cúrcuma**, 100g de **crema de coco** y 500ml de agua*

•

Serve with a sauce of 1 chopped **spring onion** sautéed in sunflower oil, 1 **red chilli**, 1 Tbl **haldi**, 100g **creamed coconut** & 500ml water

7

Adornar con cebolleta picada y guindillas rojas

•

Garnish with finely chopped spring onions & red chillies

DHAL

1

Sofreír en ***aceite de girasol*** *1* ***cebolla*** *picada, 1 cdita de* ***jengibre*** *rallado y 1 cdita de* ***ajo*** *rallado*

•

Sauté 1 diced **onion**, 1 tsp grated **garlic** & 1 tsp grated **ginger** in **sunflower oil**

2

lentejas rojas

•

Add 2 tsp **Madras curry powder** & 250g **red lentils**

3

Sofreír hasta que las lentejas estén cubiertas de aceite y especias

•

Sauté until the lentils are coated with the oil & spices

4

Añadir 100g de ***crema de coco*** *y 500ml de agua*

•

Add 100g **creamed coconut** & 500ml of water

5

Cocinar hasta que las lentejas estén pálidas

•

Cook slowly until the lentils have broken up

6

Apagar el fuego y añadir unas ramas de ***cilantro*** *picado y sal al gusto*

•

Remove from the heat & stir in a bunch of chopped fresh **coriander**. Salt to taste

CALABAZA *al curry*

1

Sofreír en ***aceite de girasol*** *1* ***cebolleta*** *cortada en rodajas, 1 cdita de* ***jengibre*** *rallado y 1 cdita de* ***ajo*** *rallado*

•

Sauté 4 sliced **spring onions**, 1 tsp grated **garlic** & 1 tsp grated **ginger** in **sunflower oil**

2

Añadir 2 cditas de ***curry*** *y 2 cditas de semillas de* ***mostaza negra***

•

Add 2 tsp **curry powder** & 2 tsp of **black mustard seeds**

3

Cortar en dados 1 ***calabaza*** *grande (1kg)*

•

Cube 1 big (1kg) **butternut/ summer squash** or **pumpkin**

4

Añadir la calabaza con 2 cditas de sal

•

Add the squash to the frying spices, throw on 2 tsp of salt

5

Cubrir y cocinar a fuego lento durante 15 a 20 minutos hasta que la calabaza esté cocida

•

Cover & cook gently 15-20 minutes until squash is soft

sakína

1

*Cortar y hervir 2kg de **patatas**. Dejar en un bol*

•

Cut & boíl 2kg of **potatoes**. Leave them in a bowl

2

*Sofreír en **aceite de girasol** 1 **cebolla** picada, 2 cditas de **jengibre** rallado, 1 cdita de **ajo** rallado*

•

Fry 1 chopped **onion**, 2 tsp grated **ginger** & 1 tsp grated **garlic** in **sunflower oil**

3

*Añadir 3 cditas de **curry** y 2 cditas de hojas de **methi** (fenogreco)*

•

Add 2 tsp of **curry powder** & 2 tsp of **methi** leaves

4

*Tras 2 ó 3 minutos añadir 1L de **tomates** triturados y sal al gusto*

•

After 2 - 3 minutes add 1L of sieved **tomatoes** & salt to taste

5

*Añadir la salsa a las patatas con 200g de **guisantes**, o bien, la misma cantidad de **garbanzos** cocidos*

•

Finally, pour the sauce over the potatoes with 200g of fresh or frozen **peas**. Alternatively, use the same quantity of cooked **chickpeas**

frito seco

1

*Pelar y cortar en cubitos 2kg de **patatas***

•

Peel & cube 2kg of **potatoes**

2

*En una fuente para horno, remover las patatas con 200ml **aceite de girasol***

•

In a baking tray combine the potatoes with 200ml of **sunflower oil**

3

*Añadir 2 cditas de **semillas de hinojo** y hornear a 170ºC 10 minutos. Remover las patatas y hornear 10 minutos más*

•

Add 2 tsp of **fennel seeds**. Bake for 10 minutes in a hot oven. Turn the potatoes & return to the oven for a further 10 minutes

4

*Mientras, mezclar 100ml de agua con 2 cditas de **cúrcuma**, 2 cditas de **jengibre** rallado y 1 cdita de sal*

•

Meanwhile mix 100ml of water with 2 tsp each of **haldi** & grated **ginger** & 1 tsp of salt

5

Sacar las patatas del horno y añadir el líquido, moviéndolas para que estén todas cubiertas

•

Remove potatoes from the oven & pour the liquid over them, giving them a stir so that the liquid touches all of them

6

Hornear hasta que las patatas se doren

•

Bake until the potates are crispy

TARKA Dhal

1

Sofreír en
aceite de girasol
20 dientes de
***ajo** laminado,*
con 6 láminas de
jengibre

•

Sauté 20 cloves of sliced **garlic** in 50ml **sunflower oil** with 6 slices of **ginger**

2

Añadir 1 cda de
***curry Madras** y*
sofreír a fuego
lento

•

Add 1 tsp **Madras curry powder** & fry gently

3

Añadir 250g
*de **lentejas***
***castellanas** y*
sofreír hasta que
estén cubiertas de
aceite y especias

•

Add 250g whole **green lentils** & fry until coated with the oil & spices

4

Añadir 1L de
***tomates** triturados*
y cocinar a fuego
lento hasta que
las lentejas estén
blandas. Añadir
más tomate si es
necesario

•

Add 1L **tomato juice** & cook slowly until the lentils are soft, adding more tomato juice if required

5

Añadir sal al
gusto antes de
servir

•

Salt to taste before serving

sabores • flavours that are
latinos • latin

FRIJOLES cubanos

1

Dejar en remojo 250g de ***alubias negras***

•

Soak 250g dried **black beans**

2

Cortar y sofreír en ***aceite de oliva****, 1* ***cebolla****, 2 dientes de* ***ajo*** *y 1* ***pimiento verde***

•

Chop & sauté 1 **onion**, 2 cloves of **garlic** & 1 **green pepper** in **olive oil**

3

Añadir 1 cda de ***orégano*** *y seguir sofriendo hasta que la cebolla se ponga transparente*

•

Add 1 Tbl **oregano** & fry until the onions are clear

4

Añadir las alubias escurridas y 125ml de ***vino blanco****. Dejar hasta que hierva*

•

Add the soaked beans & 125ml **white wine**. Bring to the boil

5

Cubrir con agua y cocinar hasta que las alubias estén blandas, añadiendo más agua si es necesario

•

Cover with water & cook until beans are soft, adding more water as needed

6

Añadir sal al gusto y servir

•

Salt to taste & serve

FRIJOLES mejicanos

1

*Dejar en remojo 250g de **alubias pintas** y después hervir hasta que estén cocidas*

•

Soak 250g **pinto beans**. Cook until soft

2

*Escurrir y añadir 1 **cebolla** cortada, 1 cdita de **comino molido** y 200g de **tomates** triturados*

•

Drain & add 1 coarsely chopped **onion**, 1 tsp **ground cumin** & 200g chopped **tomatoes**

3

Batirlo todo, añadir sal al gusto y servir

•

Whizz, adding salt to taste & serve

SALSA *roja*

1

Cortar 6 ***tomates*** *en cubitos*

•

Cut 6 **tomatoes** into small pieces

2

Picar y añadir 3 ramas de ***cilantro*** *fresco*

•

Chop & add 3 stalks of fresh **coriander**

3

Un poco de sal y algunas ***guindillas rojas*** *picadas le dará el toque final*

•

A pinch of salt & optional finely chopped **chillies** make this dish suberb

SALSA verde

1

Cortar en trozos pequeños 6 ***pimientos verdes***

•

Cut 6 **green peppers** into small pieces

2

Picar y añadir 1 ***cebolla*** *y una pizca de sal*

•

Chop & add 1 **onion** & a pinch of salt

3

Batirlo todo. Otra opción es añadir ***guindillas verdes***

•

Whizz. Adding **green chillies** is an option

Se puede comprar ***tortillas de maíz****. Son muy difíciles de hacer en casa.*

•

Corn tortillas can be bought. They are hard to make at home.

Calentar las tortillas en la plancha y tostarlas con un poco de ***aceite de oliva***

•

Place them flat on a griddle or in a frying pan & toast them lightly with a little **olive oil**

Cubrir con ***frijoles mejicanos*** *(receta 35)*

•

Spread with **refried beans** (recipe 35)

Poner encima de los frijoles mejicanos 1 cda de ***frijoles cubanos*** *(receta 34) y 1 cda de* ***salsa fresca*** *(receta 36)*

•

Top with 1 Tbl **latin black beans** (recipe 34) & 1 Tbl **tomato salsa** (recipe 36)

Por último, un toque de ***salsa verde*** *(receta 37)*

•

Add a dollop of **green salsa** (recipe 37)

Servir cuando la tortilla esté crujiente

•

Serve when the tortilla is crispy

bolitas de maíz

1

*Batir 450g de **maíz dulce** con su jugo. Dejar unos granos enteros para dar textura*

•

Whizz 450g tinned **sweetcorn** in its juice. Leave a few whole kernels for texture

2

*Añadir 1 **cebolleta** picada, 6 ramas de **cilantro** picado, 3 **guindillas rojas** picadas y 100ml (volumen) de **azúcar blanco***

•

Add 1 bunch of chopped **spring onions**, 6 stalks of chopped **coriander**, 3 finely chopped **red chillies** & 100ml (volume) **white sugar**

3

*Añadir 400g de **harina de maíz** y una pizca de sal*

•

Add 400g **cornmeal** & a good pinch of salt

4

Formar mini-hamburguesas con la masa

•

Form into mini-hamburger patties

5

*Freír en abundante **aceite de girasol** y servir*

•

Deep fry in **sunflower oil** & serve

chili sin carne

1

*Dejar en remojo 250g de **alubias rojas** y después hervir hasta que estén cocidas. Escurrir*

•

Soak & boil until soft 250g **red kidney beans**. Drain

2

*Sofreír en **aceite de oliva** 1 **cebolla** y 2 **guindillas verdes** picadas*

•

Sauté 1 **onion** & 2 chopped **green chillies** in **olive oil**

3

*Añadir 250g de **carne de soja texturizada fina** y sofreír hasta que esté cubierta de aceite y especias. ¡Cuidado! La soja se puede quemar*

•

Add 250g fine **soya mince** (TVP) & coat with the oil, taking care not to burn it

4

*Añadir 125ml de **vino tinto**, 125ml de **tomates titurados** y cocinar unos 5 minutos más, removiendo constantemente*

•

Add 125ml **red wine**, 125ml sieved **tomatoes** & cook for 5 minutes, stirring constantly

5

Quitar del fuego y añadir las alubias. Añadir sal al gusto

•

Remove & fold in beans. Salt to taste

bolitas mejicanas en salsa molé

1

Utilizar la misma masa que la de las ***bolitas de maíz*** *(receta 39)*

•

Use the same mix as for **corn fritters** (recipe 39)

2

Añadir a la masa 200ml de ***pepitas de chocolate****, 6 ramas de* ***cilantro*** *y 1* ***guindilla roja*** *picada*

•

Add 200ml dark **chocolate chips**, 6 stems of finely chopped fresh **coriander** & 6 minced **red chillies**

3

Formar bolitas del tamaño de pelotas de golf y freír en abundante ***aceite de girasol*** *hasta que estén doradas*

•

Form into golf ball-size balls & deep fry in **sunflower oil** until golden brown

4

Preparar la salsa molé: batir 4 ***plátanos*** *con 1 cda de* ***cacao*** *en polvo, 6 cdas de agua, ½ cdita de* ***comino en grano****, ½ cdita de* ***cilantro en grano****, ½ cdita de* ***pimentón picante****, 1 cda de* ***azúcar*** *y el jugo de 3* ***limas***

•

Make the molé sauce by blending 4 **bananas** with 1 Tbl **cocoa powder**, 6 Tbl water, ½ tsp **cumin seeds**, ½ tsp **coriander seeds**, ½ tsp **paprika**, ½ Tbl **sugar** & the juice of 3 **limes**

5

Verter la salsa encima de las bolitas y adornar con guindillas y hojas de cilantro

•

Pour the sauce over the balls & garnish with red chillies & coriander leaves

guacamole

1

Sacar la pulpa de 4 ***aguacates*** *y guardar los* ***huesos***

•

Open up 4 ripe **avocadoes**. Remove pulp & save the **stones**

2

Aplastar la pulpa con un tenedor. Añadir 4 ***tomates****, cortados en daditos*

•

Mash the flesh with a fork. Add 4 finely chopped ripe **tomatoes** & any juice

3

Añadir el zumo de 1 ***lima*** *y sal al gusto*

•

Add the juice of 1 **lime** & salt to taste

4

Poner los huesos en el guacamole para evitar que se oxide

•

Add the stones to the guacamole to help prevent oxidation

mexislaw

1

*Cortar en láminas ½ **col blanca** y ½ **col lombarda***

•

Shred ½ of each a **red** & **white cabbage**

2

*Añadir 8 **rábanos** en lonchas finas y la misma cantidad de **cilantro** fresco cortado*

•

Thinly slice 8 **radishes** & add together with the same quantity of fresh chopped **coriander**

3

*Aliñar con el zumo de 1 **lima**, 1 chorrito de **aceite de oliva** y **pimienta negra** al gusto*

•

Dress with **lime** juice, a dash of **olive oil** & cracked **black pepper** to taste

ensalada de alubias

1

*Preparar una combinación de 500g de **alubias**; frescas, blancas, rojas, de lata...*

•

Prepare any combination of **beans**, including any tinned beans or fresh beans, totalling about 500g

2

*Pensar en la mezcla de colores. Algunas opciones son añadir: **maíz dulce**, **pimiento rojo**, **perejil** y/o **calabacín***

•

Think about colours & feel free to add **sweetcorn**, **red pepper**, **parsley** &/or grated **courgette** to lift the colour

3

*Aliñar con **aceite de oliva**, **vinagre balsámico**, 1 cda de **mostaza en polvo**, 1 cda de **sirope** de remolacha, arce, pera o manzana*

•

Create a dressing of **olive oil**, **balsamic vinegar** whizzed with 1 tsp **mustard powder** & 1 Tbl of **syrup** such as beetroot syrup, maple syrup, pear or apple spread

4

No añadir ni ajo ni azúcar ni sal

•

No garlic, no salt, no added sugar

abores del · flavours of the
mediterráneo
ratatouille • ensalada champis • mush salad • calabacín marco • marco's courgettes
caprese • french onion tart • quiche francesa • spinach quiche • quiche espinacas
mushroom quiche • quiche champis • italian tartlet • quiche italiana • moussaka

ratatouille

1

Sofreír en
aceite de oliva
1 ***cebolla*** *picada*
•
Chop & sauté
1 **onion** in
olive oil

2

Cortar en juliana
1 ***pimiento rojo***
y 1 ***pimiento verde****. Añadir los pimientos con 2* ***hojas de laurel***
•
Cut 1 **red pepper**
& 1 **green pepper**
into strips & add
together with 2
bay leaves

3

Añadir 1
berenjena *y*
1 ***calabacín***
cortados en dados
•
Add 1 **aubergine**
& 1 **courgette** in
stamp-size pieces

4

Remover constantemente.
Añadir 4 ***tomates***
finamente cortados
•
Stir constantly
adding 4 chopped
tomatoes

5

Dejar a fuego lento hasta que todo esté cocido
•
Cook slowly until
all the vegetables
are soft

6

Apagar el fuego y dejar reposar 15 minutos con la olla tapada
•
Remove from the
heat. Cover &
leave to rest 15
minutes

7

Como toque final:
orégano *y sal al gusto*
•
As a final touch,
add **oregano** &
salt to taste

champis y albahaca

1

Cortar en láminas 10 ***champiñones*** *grandes*

•

Cut 10 large **mushrooms** into thick slices

2

Añadir las hojas de 4 ramas de ***albahaca*** *fresca*

•

Add 4 coarsely cut stems of **basil** leaves

3

Aliñar con 200ml de ***aceite de oliva***

•

Coat thoroughly with 200ml **extra virgin olive oil**

4

Añadir 50ml de ***vinagre balsámico*** *y sal al gusto*

•

Add 50ml **balsamic vinegar** & salt to taste

calabacín MARCO

1

Cortar en rodajas 4 ***calabacines*** *y 1* ***cebolla****. Sofreír en* ***aceite de oliva***

•

Cut 1 **onion** & 4 **courgettes** into thick slices & sauté in **olive oil**

2

Cuando los calabacines estén casi blandos, añadir 4 dientes de ***ajo*** *cortados en láminas*

•

When the courgettes are almost soft, add 4 cloves of coarsely chopped **garlic**

3

Dejar hasta que estén dorados y añadir un toque de ***vino blanco*** *y sal*

•

Let them brown & then throw on a splash of **white wine** & salt

4

Cuando el líquido se haya evaporado el plato está listo

•

When the liquid has evaporated it's ready!

CAPRESE

1

*Cortar en cubitos 200g de **tofu**. Sofreír en **aceite de oliva** hasta que se dore. Apartar*

•

Cut 200g **tofu** into cubes & sauté in **olive oil** until golden. Set aside

2

*Cortar en medias lunas 4 **tomates***

•

Slice 4 large **tomatoes** into half moons

3

*Añadir ½ **cebolla** en láminas finas y 16 hojas de **albahaca** fresca*

•

Add ½ a large **onion** cut as thinly as possible & 16 fresh **basil** leaves

4

*Aliñar con un poco de aceite de oliva, una pizca de sal y una pizca de **pimienta negra***

•

Toss with minimal olive oil & a pinch each of salt & cracked **black pepper**

5

Finalmente, añadir el tofu

•

Finally throw in the tofu

Quiche aniceesa

1

Sofreír en ***aceite de oliva*** *4* ***cebollas*** *picadas y ½ cdita de sal hasta que se doren*

•

Chop & sauté 4 large **onions** & ½ tsp of salt in **olive oil** until golden

2

Cubrir con ***polenta fina*** *la base de un molde para quiche de 1,5L*

•

Cover the base of a 1.5L quiche mould with fine **polenta**

3

Batir 500g de ***queso de soja*** *con 1L de* ***leche de soja*** *y 50g de* ***maicena***

•

Blend 500g plain **soya cheese** with 1L **soya milk** & 50g **cornflour**

4

Verter la mezcla en el molde con cuidado

•

Carefully pour the mixture into the mould

5

Cubrir con las cebollas sofritas

•

Top with the sautéed onions

6

Hornear a 150ºC 1 hora o hasta que se solidifique

•

Bake 1 hour at 150°C or until solid

QUiCHE espinacas

1

*Batir 600g de **espinacas** crudas con 500g de **tofu**, 250ml de **leche de soja**, 50g de **maicena** y ½ **nuez moscada** rallada. Añadir sal al gusto*

•

Whizz 600g raw **spinach** with 500g **tofu**, 250ml **soya milk**, 50g **cornflour** & ½ a grated **nutmeg**. Add salt to taste

2

*Cubrir con **polenta fina** la base de un molde para quiche de 1,5L*

•

Cover the base of a 1.5L quiche mould with fine **polenta**

3

Verter la mezcla en el molde con cuidado

•

Carefully pour the mixture into the mould

4

Hornear a 150ºC 1 hora o hasta que se solidifique

•

Bake 1 hour at 150°C or until solid

champiñones QUICHE

1

*Sofreír en **aceite de oliva** 15 **champiñones** (300g) hasta que estén cocidos*

•

Sauté 15 **mushrooms** (300g) in **olive oil** until soft

2

*Batir 700g de **alubias blancas** cocidas con 450ml de agua, la mitad de los champiñones cocidos y 50g de **albahaca** fresca*

•

Whizz 700g cooked **white beans** with 450ml of water, half the cooked mushrooms & 50g fresh **basil**

3

*Añadir el resto de los champiñones y su aceite, 50g de **maicena** y una pizca de sal*

•

Add the rest of the mushrooms with their oil, 50g **cornflour** & salt to taste

4

*Cubrir con **polenta fina** la base de un molde para quiche de 1,5L*

•

Cover the base of a 1.5L quiche mould with fine **polenta**

5

Verter la mezcla en el molde con cuidado y adornar con champiñones

•

Carefully pour the mixture into the quiche mould. Decorate with mushrooms

6

Hornear a 150ºC 1 hora o hasta que se solidifique

•

Bake 1 hour at 150˚C or until solid

QUiCHE ítaliána

1

*Cortar y sofreír en **aceite de oliva** 1 **pimiento verde**, 1 **pimiento rojo** y 1 **cebolla***

•

Chop & sauté 1 **green pepper**, 1 **red pepper** & 1 **onion** in **olive oil**

2

*Batir 700g de **alubias blancas** cocidas con 450ml de agua. Añadir la mitad de las verduras cocinadas y su aceite, 50g de **maicena**, 1 cda de **orégano** y sal al gusto*

•

Whizz 700g cooked **white beans** with 450ml of water. Add half the cooked vegetables & their oil, 50g **cornflour**, 1 Tbl **oregano** & salt to taste

3

*Cubrir con **polenta fina** la base de un molde para quiche de 1,5L*

•

Cover the base of a 1.5L quiche mould with fine **polenta**

4

Verter la mezcla en el molde con cuidado. Adornar con las verduras que quedan

•

Carefully pour the mixture into the mould. Top with the remaining vegetables

5

Hornear a 150ºC 1 hora o hasta que se solidifique

•

Bake 1 hour at 150°C or until solid

moussaka

1

*Mezclar 1300ml de **tomates** cortados en daditos con 500ml de **carne de soja texturizada fina**, 500ml de **tomates** triturados, 200ml de **vino tinto**, 1 cda de **orégano**, 1 cdita de sal y 200ml de **aceite de oliva**.*

•

Mix 1300ml chopped **tomatoes** with 500ml **soya mince** (TVP), 500ml **sieved tomatoes**, 200ml **red wine**, 1 Tbl **oregano**, 1 tsp salt & 200ml **olive oil**

2

*Cortar 2 **berenjenas** en rodajas*

•

Slice 2 **aubergines** in coins

3

En una fuente para horno colocar 3 capas: la mitad de la mezcla de verduras y soja, en medio las berenjenas y por encima la otra mitad de la mezcla

•

Place 3 layers in an ovenproof dish. First the mince, then the aubergines, then the second half of the mince

4

Hornear a 150ºC 1½ horas

•

Bake 1½ hours at 150ºC

5

*Sacar del horno y recubrir con una capa de 100ml de **queso de soja** mezclado con 30ml de agua. Espolvorear encima **orégano**, **pimentón dulce** y **pimienta negra***

•

Remove & top with 100ml **soya cheese** whizzed with 30ml water. Sprinkle with **oregano**, sweet **paprika** & cracked **black pepper**

6

Dejar reposar un poco antes de servir

•

Wait briefly while the ‘cheese’ sets & serve

sabores del • flavours of the
medio oriente
middle east
faláfel • hummus • tabuleh • mini-shish • baba ganoush • aubergine pâté
champis turcos • mud mush • mijo marroquí • moroccan grain
keema máthar • blinis

falāfel

1

*Aplastar 500g de **garbanzos cocidos***

•

Smash by hand 500g **cooked chickpeas**

2

*Añadir 1 **cebolla** picada, 2 dientes de **ajo** rallados, 1 cdita de sal, 1 manojo de **perejil** picado y 100g de **harina de garbanzos***

•

Add 1 diced **onion**, 2 cloves grated **garlic**, 1 tsp salt, 1 chopped bunch of **parsley** and 100g **gram flour**

3

Formar una masa con 100ml de agua

•

Mix togther with 100ml water & form a stiff paste

4

*Formar bolitas del tamaño de pelotas de golf y freír en abundante **aceite de girasol***

•

Form into golf ball-sized balls and deep fry in ***sunflower oil***

hummus

1

*Batir 250g de **garbanzos** cocidos con 1 cda de **tahini**, el zumo de 1 **limón**, 200ml de agua y 4 dientes de **ajo***

•

Blend 250g of cooked **chickpeas** with 1 Tbl **tahini**, the juice of 1 **lemon**, 200ml water & 4 cloves of **garlic**

2

Añadir sal al gusto

•

Salt to taste

tabulé

1. *Hervir 1,8L de agua. Añadir 500g de* ***mijo****. Remover constantemente durante 20 minutos*

   •

   Cook 500g **millet** in 1.8L boiling water. Stir constantly for 20 minutes

2. *Quitar del fuego y lavar el mijo en agua fría 2 ó 3 veces. Escurrir*

   •

   Remove from the heat & rinse 2-3 times in cold water. Drain

3. *Añadir 6* ***tomates*** *y 8* ***pepinos*** *cortados en daditos*

   •

   Add 6 **tomatoes** & an equal volume of **cucumber**, all finely chopped

4. *Picar y añadir 10 ramas de* ***perejil*** *y 2 ramas de* ***hierbabuena***

   •

   Chop & add 10 stalks of **parsley** & 2 stalks of **mint**

5. *Aliñar con* ***aceite de oliva****, zumo de* ***limón*** *y sal al gusto*

   •

   Add **olive oil**, **lemon juice** & salt to taste

mini-shish kebab

1

Usar la masa de ***Kofta*** *(receta 27). Formar bolas grandes, darles una forma alargada y clavar con pinchos*

•

Use the **Kofta** mix (recipe 27). Form tennis ball-size balls & press them oblong onto a wooden skewer

2

Freír en abundante ***aceite de girasol*** *hasta que se doren*

•

Fry in **sunflower oil** until golden brown

3

Servir con una salsa raitha hecha con 500ml de ***leche de soja****, el zumo de 1* ***limón****, 1* ***pepino*** *rallado y* ***hierbabuena*** *picada*

•

Serve with a raitha made of 500ml **soya milk,** juice of 1 **lemon**, grated **cucumber** & chopped fresh **mint**

baba ganoush

*Tostar en una sartén, al grill o en la barbacoa, 3 **berenjenas** largas hasta que estén cocidas por todos lados. Tapar y guardar en la nevera*

•

Blacken 3 large **aubergines** in a dry frying pan, on a griddle, or on the barbecue. When they are fully burned on all sides, remove, cover & refrigerate

1

Una vez frías, pelarlas, batir el jugo y la carne

•

Once cold, peel off the skins & whizz the flesh with all the juice

2

*Añadir 1 cda de **tahini** tostado, ½ cdita de **comino en grano** y **zumo de limón** al gusto*

•

Add 1 Tbl toasted **tahini**, ½ tsp **cumin seeds** & **lemon juice** to taste

3

CHAMPIS TURCOS

1

Cortar en trozos grandes 20 ***champiñones*** *grandes*

•

Chop 20 big **mushrooms** into coarse chunks

2

Sofreír en ***aceite de oliva***

•

Sauté in **olive oil**

3

Tras 1 minuto, añadir 1 cda de ***especias Marroquíes*** *o de* ***pinchito moruno***

•

After 1 minute add 1 Tbl **Moroccan** or **pinchito spice**

4

Cocinar hasta que los champiñones estén cocidos

•

Cover & cook until the mushrooms are soft

mijo marroquí

*Hervir 1,8L de agua. Añadir 500g de **mijo**. Remover constantemente durante 20 minutos*

•

Cook 500g **millet** in 1.8L boiling water. Stir constantly for 20 minutes

Quitar del fuego y lavar el mijo en agua fría 2 ó 3 veces. Escurrir

•

Remove from the heat & rinse 2-3 times in cold water. Drain

*Añadir 1 cda de una mezcla de **especias Marroquíes***

•

Stir in 1 Tbl of a **Moroccan spice** blend

*Picar y añadir 250g de **dátiles**, 250g de **albaricoques** y 250g de **pasas***

•

Add 250g each of chopped **dates**, **dried apricots** & **raisins**

keema máthar

1

*Sofreír en **aceite de girasol** 1 **cebolla** picada*

•

Sauté 1 chopped **onion** in **sunflower oil**

2

*Añadir 1 cda de **especias de pinchito** o **especias Marroquíes** y seguir sofriendo*

•

Add 1 Tbl **pinchito** or **Moroccan spice**, sautéeing further

3

*Añadir 500ml de **carne de soja texturizada fina** y cocer hasta que haya absorbido el aceite y las especias*

•

Add 500ml **soya mince** (TVP) & stir until the mince is coated in the spices & oil

4

Añadir 1L de agua y cocinar 5 minutos más o hasta que la carne de soja esté cocida del todo, removiendo constantemente

•

Add 1L water & cook, stirring constantly for about 5 minutes, or until the mince is fully softened

5

*Añadir 200g de **guisantes** congelados. Quitar del fuego y cubrir. Dejar reposar 10 minutos*

•

Stir in 200g frozen **peas**. Remove from the heat & cover. Leave to stand 10 minutes

6

Los guisantes se cocinan con el calor del plato y mantienen su sabor y color verde

•

The peas cook in the heat of the mince staying green & flavourful

blinis

1

*Mezclar 500ml (volumen) de **harina de sarraceno** con agua hasta que la mezcla esté casi tan líquida como el agua. Añadir sal al gusto*

•

Mix 500ml of **buckwheat flour** with water so that it is almost as runny as water. Salt to taste

2

*Cocer como crêpes, a la plancha o en la sartén, usando muy poco **aceite***

•

Cook as crêpes, on the griddle or in a frying pan using very little **oil**

3

Variaciones: añadir a la mezcla hierbas, cebolla picada, azúcar, especias...

•

Variations: add herbs, onions or sugar & spices

4

Excelente como sustituto del pan. Se puede congelar

•

Excellent as a bread substitute. Can be frozen

sabor • flavours that are
oriental

ensalada verde

1

Dejar en remojo 300g de ***espinacas*** *cortadas (agua fría). Escurrir*

•

Chop 300g of **spinach** & leave to soak in cold water. Drain

2

Añadir 1 ***pimiento rojo*** *cortado en juliana, la ralladura de 1* ***naranja****, la naranja troceada y su jugo*

•

Slice 1 **red pepper** & add the grated rind of 1 **orange**, the flesh of the orange & any juice

3

Preparar un aliño con 200ml de ***aceite de girasol****, 75ml de* ***vinagre*** *de vino blanco o vinagre de arroz, 1 cdita de* ***azúcar*** *y ½ cdita de* ***jengibre*** *fresco rallado*

•

Create a dressing with 200ml **sunflower oil**, 75ml white wine **vinegar** or rice vinegar, 1 tsp **sugar** & ½ tsp grated fresh **ginger**

4

Remover todo y añadir láminas de ***champiñones****, dados de* ***tofu*** *o* ***habas fritas***

•

Toss all together with the drained spinach & add either sliced **mushrooms**, cubed **tofu** or **toasted broad beans**

sushi frito

1

Cocinar 250g de ***arroz integral*** *y 1 puñado de* ***algas hiziki*** *en 500ml de agua hirviendo (20 minutos)*

•

In 500ml boiling water cook 250g **brown rice** & small handful of **hiziki seaweed** for 20 minutes

2

Cuando el arroz esté cocinado, quitar del fuego y añadir 1 ***calabacín*** *rallado, 1 cdita de* ***jengibre*** *rallado y 70g de* ***harina de arroz****. Amasar*

•

Remove & add 1 grated **courgette**, 1 tsp grated **ginger** & 70g **rice flour**. Mix to a stiff dough

3

Preparar una salsa: mezclar 100ml de ***tamari*** *con 200ml de agua, 1* ***cebolleta*** *finamente picada y* ***wasabi*** *en polvo al gusto*

•

Make a sauce of 100ml **tamari**, 200ml water, 1 bunch finely sliced **spring onions** & **wasabi** powder to taste

4

Coger la masa y formar bolitas del tamaño de pelotas de ping-pong y freír en abundante ***aceite de girasol***

•

Form the dough into ping pong ball-size rounds and deep fry in **sunflower oil**

5

Sacar cuando estén doradas y submergir en la salsa

•

When they are rich deep brown remove & plunge into the sauce

6

Sacar de la salsa a los 3 minutos y servir con cebolleta picada y más salsa para acompañar

•

Remove after 3 minutes & serve garnished with chopped fresh spring onion greens & more sauce on the side

ensalada tai

1

Cortar los cogollos de 2 ***brócolis*** *grandes. Desmenuzarlos. Verter agua hirviendo encima y escaldar 3 minutos. Escurrir y apartar*

•

Cut the florets from 2 large **broccoli** heads. Strip them into small 'trees' & blanch in boiling water. Leave 3 minutes. Drain & set aside

2

Añadir 4 ***plátanos*** *en rodajas y 2* ***cebolletas*** *picadas*

•

Add 4 sliced **bananas** & 2 bunches of finely chopped **spring onions**

3

Añadir 100g de ***pasta de arroz*** *cocida*

•

Add 100g cooked **rice pasta**

4

Cortar los tallos del brócoli y sofreír en ***aceite de girasol*** *con 10* ***guindillas rojas*** *picadas, 10 dientes de* ***ajo*** *picados, y 2 cdas de* ***azúcar*** *blanco*

•

Thinly slice the broccoli stalks & sauté in a paste of 10 chopped fiery **red chillies**, 10 cloves of minced **garlic**, 2 Tbl white **sugar** & 50ml **sunflower oil**

5

Cuando los tallos estén cocidos, añadir 25ml de ***tamari*** *mezclado con 25ml de agua y 1 cda de azúcar blanco*

•

When the stalks are soft, add 25ml **tamari** mixed with 25ml water & 1 Tbl white sugar

6

Mezclar todos los ingredientes y aliñar con el zumo de 1 ***lima***

•

Combine all the ingredients & add the juice of 1 **lime**

wok chino

1

*Cubrir y dejar en remojo 100g de **alubias negras chinas fermentadas** (agua caliente)*

•

Cover & soak 100g Chinese **dried fermented black beans** in boiling water

2

*Lavar y cortar 300g de **espinacas**. Escurrir*

•

Wash & chop 300g **spinach**, Drain

3

*Añadir a las espinacas la mitad de 1 **piña** troceada y 1 **zanahoria** cortada en rodajas*

•

Add ½ chopped **pineapple** & 1 sliced **carrot** to the spinach

4

*Sofreír en **aceite de girasol** 250g de **tofu** troceado hasta que se dore. Sacar con el mínimo aceite posible y añadir a las espinacas*

•

Fry in **sunflower oil** 250g cubed solid **tofu** until golden. Remove with minimal oil & toss onto the spinach mix

5

*En el mismo aceite sofreír 1 **pimiento verde**, 1 **pimiento rojo** y 1 **cebolla**, todos cortados en trozos grandes. Una vez cocidos, sacar con el mínimo aceite y añadir a la mezcla de espinacas*

•

In the remaining oil fry a **red pepper**, a **green pepper**, an **onion**, all in large pieces. Once cooked, remove with minimal oil & add to the spinach mix

6

Escurrir las alubias guardando el agua. Añadir las alubias a la mezcla de espinacas

•

Drain the beans and reserve the water. Add the beans to the spinach mix

7

*Añadir 1 cda de **maicena** al agua de las alubias, 50ml más de agua y cocinar hasta que esté espeso*

•

Add 1 Tbl **cornflour** to the bean water, a further 50ml water & cook until thickened

8

Añadir a las espinacas y mezclar hasta que las espinacas se hayan ablandado

•

Pour onto the spinach mix & toss as the spinach wilts

WOK TAILANDES

Sofreír en ***aceite de girasol*** *1* ***cebolla*** *cortada en medias lunas, 1 rama de* ***citronela*** *partida en 3 y rajada horizontalmente, 2* ***guindillas rojas*** *en rodajas finas y 50g de* ***jengibre*** *en láminas finas*

•

Sauté 1 **onion** cut in half moons, 1 stalk of **lemongrass** cut in 3 & slit lengthways, 2 **red chillies** in fine rounds & 50g **ginger** in fine slices

Añadir 1,5kg de ***patatas*** *pequeñas y freír 5 minutos*

•

Add 1.5kg small **potatoes** & fry for 5 minutes

Añadir 200g de ***crema de coco*** *y 500ml de agua*

•

Add 200g of **creamed coconut** & 500ml water

Una vez que las patatas estén casi cocidas, añadir rodajas de: ***calabacín*** *(500g),* ***zanahoria*** *(350g),* ***pimiento rojo*** *(250g) y la ralladura de 1* ***lima***

•

Once the potatoes are almost cooked add 500g **courgettes**, 350g **carrots**, 250g **red peppers**, all cut into coins, & the zest of 1 **lime**

Una vez que las patatas estén cocidas añadir las hojas de 2 ramas de ***albahaca****, 3* ***hojas de lima****, el jugo de la lima y sal al gusto*

•

Once the potatoes are cooked, add 2 stalks of **basil** leaves, 3 **lime leaves**, the juice of the lime & salt to taste

berenjenas BANGKOK

1

Preparar una pasta tailandesa roja: batir 10 ***guindillas rojas*** *picantes con 10 dientes de* ***ajo****, 2 cda de* ***azúcar*** *blanco y 50ml de* ***aceite de girasol***

•

Prepare a red thai paste by blending 10 fiery **red chillies** with 10 cloves of **garlic**, 2 Tbl white **sugar** & 50ml **sunflower oil**

2

Sofreír la pasta y añadir 4 ***berenjenas*** *cortadas en juliana*

•

Fry the thai paste & add 4 large julienned **aubergines**

3

Taparlas, removiendo de vez en cuando hasta que estén cocidas

•

Fry covered, turn periodically until the aubergines are cooked

4

Mezclar 25ml de ***tamari*** *con 25ml de agua y 1 cda de azúcar blanco. Verter encima de las berenjenas*

•

Throw on a mix of 25ml **tamari**, 25ml water & 1 Tbl white sugar

5

Cuando las berenjenas estén cubiertas del tamari, apagar el fuego

•

When the aubergines are fully coated remove from the heat

6

Añadir 2 ramas de ***albahaca*** *picada y el zumo de 2* ***limas****. Servir*

•

Add 2 stalks of chopped **basil** & juice of one **lime**. Serve

verduras agridulce

1

*Cortar en trozos iguales 1 **cebolla**, 1 **pimiento rojo**, 1 **zanahoria**, 1 **calabacín** y 3 **champiñones**. Sofreír en **aceite de girasol**. Apartar*

•

Slice, as nearly the same size as possible, 1 **onion**, 1 **red pepper**, 1 **carrot**, 1 **courgette**, 3 **mushrooms**, & stir-fry in very little **sunflower oil**. Set aside

2

*Batir ½ **piña** con 500ml de **tomates** triturados y 1 cda de **maicena**. Cocinar hasta que esté espeso*

•

Whizz ½ **pineapple** with 500ml sieved **tomatoes** & 1 Tbl **cornstarch**. Heat until thickened

3

*Verter encima de las verduras, añadir un chorrito de **tamari** y servir*

•

Pour over the vegetables with a dash of **tamari** & serve

sabores de • flavours of
europa del norte
ens pat • pot salad • pat romero • rosemary pots • pâté boniatos • sweet pot mousse
pat cremosas • creamy pots • empanadas • turnovers • pastel pastor • shepherd's pie
lombarda horneada • baked red cabbage • colslaw • apple sal • ens manzana

ensalada de patatas

1

Pelar, cortar y hervir 4 ***patatas*** *grandes. Escurrir y dejar que se enfríen*

•

Peel, cut & boil 4 large **potatoes**. Drain & cool

2

Añadir 6 ramas de ***apio*** *cortado, 1* ***pepino*** *cortado en rodajas finas y ½* ***cebolla*** *cortada en medias lunas finas*

•

Add 6 stalks chopped **celery**, 1 finely sliced **cucumber** & ½ finely sliced **onion**

3

Aliñar con una mayonesa: batir 250ml ***tofu*** *con 50ml de* ***aceite de oliva****,* ***azúcar****, zumo de* ***limón****,* ***eneldo*** *y una pizca de sal al gusto*

•

Dress with a mayonnaise of 250g **tofu** whizzed with 50ml **olive oil**, **sugar**, **lemon juice**, **dill** & salt to taste

patatas
al romero

1

Mezclar 2kg de ***patatas*** *pequeñas con 250ml de* ***aceite de oliva****, 2 cdas de* ***romero****, 4* ***tomates*** *cortados y sal al gusto*

•

Mix 2kg of small **potatoes** with 250ml of **olive oil**, 2 Tbl **rosemary**, 4 chopped fresh **tomatoes** & salt to taste

2

Hornear a 150°C hasta que las patatas estén cocidas y crujientes

•

Roast at 150°C until the potatoes are cooked & crunchy

pâté de boniatos

1

Batir 1kg de ***boniatos*** *pelados y cocidos con 1* ***cebolla*** *cortada, 3 cdas de* ***queso de soja*** *y sal al gusto*

•

Whizz 1kg of peeled & cooked **sweet potatoes** with 1 chopped **onion**, 3 Tbl **soya cheese** & salt to taste

2

Hornear a 150°C 30 minutos

•

Bake in the oven at 150°C for 30 minutes

1

*Preparar una salsa bechamel: derritir 50g de **margarina**. Añadir 1 cdita de **mostaza en polvo** y otra de semillas de **mostaza negra**. Remover. Bajar el fuego al mínimo. Añadir lentamente 100ml de **harina de garbanzos**, removiendo constantemente. Añadir 1L de **leche de soja**. Seguir removiendo hasta que se espese. Añadir sal al gusto*

•

Make a bechamel sauce: melt 50g of **margarine**. Add 1 tsp each **mustard powder** & **black mustard seeds**. Stir, reducing the heat. Slowly add 100g **gram flour** stirring constantly. Add 1L **soya milk**. Stir until sauce thickens. Salt to taste

2

*Sofreír 1 **cebolla** picada en **aceite de oliva**. Añadir 2kg de **patatas** pequeñas cortadas en dados.*

•

Sauté 1 **onion** in **olive oil**. Add 2kg small **potatoes** halving them if necessary.

3

*Sofreír hasta que las patatas estén casi cocidas, removiendo constantemente. Añadir 2 **puerros** cortados en rodajas, 2 cdas de **romero** y sal al gusto*

•

Sauté until the potatoes are almost cooked, stirring continuously. Add 2 **leeks** chopped in rounds, 2 Tbl **rosemary** & salt to taste

4

Cuando el puerro esté en su punto, quitar del fuego, mezclar con la salsa bechamel y servir

•

When the leeks are cooked, remove from the heat, mix with the bechamel sauce & serve

patatas cremosas

EMPANADAS

1

Preparar una salsa bechamel: derretir 50g de ***margarina****. Añadir 1 cdita de* ***mostaza en polvo*** *y otra de semillas de* ***mostaza negra****. Remover. Bajar el fuego al mínimo. Añadir lentamente 100ml de* ***harina de garbanzos****, removiendo constantemente. Añadir 1L de* ***leche de soja****. Seguir removiendo hasta que se espese. Añadir sal al gusto*

•

Make a bechamel sauce: melt 50g of **margarine**. Add 1 tsp each **mustard powder** & **black mustard seeds**. Stir, reducing the heat. Slowly add 100g **gram flour** stirring constantly. Add 1L **soya milk**. Stir until sauce thickens. Salt to taste

2

Sofreír ½ ***cebolla*** *en* ***aceite de oliva*** *Añadir 100g de* ***champiñones*** *en láminas*

•

Saute ½ **onion** in **olive oil**. Add 100g sliced **mushrooms**

3

Una vez cocidos añadir 300g de ***espinacas*** *troceadas*

•

Once cooked add 300g chopped **spinach**

4

Remover hasta que las espinacas estén en su punto. Añadir sal al gusto

•

Stir until the spinach is wilted. Add salt to taste

5

Mezclar la salsa bechamel con las espinacas y champiñones para formar el relleno

•

Mix the bechamel with spinach & mushrooms. This is the filling

6

Poner ***tortillas de maíz*** *en una plancha con un chorrito de aceite. Cubrir la mitad de cada tortilla con el relleno*

•

Oil a hot griddle with olive oil. Lay on **corn tortillas**. Cover half of each with the filling

7

Una vez que la tortilla esté plegable, doblar para formar la empanada. Tostar las dos caras hasta que estén doradas

•

When the tortilla is pliable fold it to form a turnover. Toast both sides until they are golden

PASTEL de PASTOR

Sofreír 1 ***cebolla****,*
3 ***zanahorias*** *y*
1 rama de ***apio***
en ***aceite de oliva***
hasta que estén
tiernos

•

Sauté 1 **onion**,
3 **carrots** &
1 stick of **celery**
in **olive oil**, until
softened

Añadir 1 cda de
finas hierbas*,*
12 ***champiñones****,*
y 1 ***calabacín****.*
Seguir sofriendo

•

Add 1 Tbl
mixed herbs,
12 **mushrooms**, &
1 small **courgette**.
Continue to sauté

Añadir 3 cditas
de ***Marmite*** *o*
tamari*, 125ml*
de ***vino blanco****,*
1L de ***tomates***
triturados y 1,5L
de agua

•

Add 3 tsp
Marmite or
tamari, 125ml
white wine, 1L of
chopped **tomatoes**
and 1.5L water

4

Añadir 250g de
carne de soja
texturizada
gruesa *y*
2 puñados de
guisantes*.*
Cocinar hasta
que la soja esté
blanda

•

Add 250g **chunky**
soya mince (TVP)
& 2 handfuls of
peas. Cook until
soft

5

Poner en una fuente para horno y terminar con una capa de puré de patatas: 1,5kg de ***patatas*** *cocidas, 50ml de aceite de oliva, 300ml de* ***leche de soja****, 1 cdita de* ***semillas de mostaza*** *y sal al gusto*

•

Put into ovenproof dish & top with mashed potato, using 1.5kg boiled **potatoes**, 50ml olive oil, 300ml **soya milk**, 1 tsp **mustard seeds** & salt to taste

6

Hornear a 150°C
30 minutos

•

Bake at 150°C for
30 minutes

lombarda horneada

1

Cortar y lavar 1 ***col lombarda****.*
Poner en una fuente para horno con 2 ***cebollas*** *cortadas, 2* ***manzanas*** *cortadas, 1 puñado de* ***pasas****, 1 pizca de* ***canela****, 1 vaso de* ***vino blanco****, 1 cda de* ***azúcar moreno*** *y sal al gusto*

Cut & wash 1 **red cabbage**.
Lay in an ovenproof dish with 2 sliced **onions**, 2 chopped **apples**, a handful of **raisins**, a pinch of **cinnamon**, 1 glass of **white wine**, 1 Tbl **brown sugar** & salt to taste

2

Hornear a 150°C 1 hora. Adornar con perejil fresco

•

Bake at 150°C for 1 hour. Garnish with fresh parsley

Cortar ½ col blanca en rodajas finas. Añadir 6 zanahorias ralladas
•
Finely slice ½ white cabbage. Add 6 grated carrots
colslaw
Aliñar con una mayonesa: batir 250ml de tofu con 50ml de aceite de oliva. Añadir sirope de agave, zumo de limón y una pizca de sal al gusto
•
Whizz up a mayonnaise of 250g tofu with 50ml olive oil. Agave syrup, lemon juice & salt to taste. Dress

ensalada de manzana

1

Cortar en trozos iguales
*4 **manzanas rojas**,*
*2 ramas de **apio***
*y 10 **uvas***

•

Cut in equal sizes
4 **red apples**,
2 stalks of **celery**
& 10 **grapes**

2

*Aliñar con un batido de 2 **kiwis***
*y ½ **piña***

•

Whizz up a dressing of 2 **kiwis**,
& ½ **pineapple**

"INCREDIBLE EDIBLE is the enactment of a belief that if you play to the strengths of any community or group of people living their lives around a street, a neighbourhood, a town, and if you share within that group a common focus (for us food), then you can create resilience and cohesion within that community that will make it stronger and happier.

We do not start with nothing. We have land, small patches, squares, public land, private spaces. We have passions to care for our own, to be creative, to survive. We have talents; growing, cooking, storytelling, drawing, making, sewing, sharing, building. We have structures; kitchens, shops, schools, churches, stalls, houses. We have become blind to all that we have and are capable of doing. Survival instincts can help us find what we have lost, teach again what we have forgotten. Together we are stronger and when we have the will to do so we can build a resilient-rich future in which all our children can flourish."

"COMESTIBLES INCREIBLES es un proyecto de sostenibilidad ya iniciado en el cual se trata de unir el esfuerzo de cualquier grupo de personas o comunidad y mostrar que somos capaces de trabajar con un fin, en este caso llegar a alimentarse 100% de los recursos locales.

Es imprescindible reconectar con el potencial de cada persona como herramienta básica para cohesionar nuestras comunidades ante los futuros cambios medioambientales y sociales.

No partimos de cero. Tenemos muchos recursos valiosos, tales como tierras, parcelas, terrenos públicos y espacios privados. Tenemos la pasión de cuidar de los nuestros, de ser creativos y de sobrevivir. Tenemos habilidades: cultivar, construir, elaborar, cocinar, coser, compartir, dibujar, contar cuentos. Tenemos estructuras: cocinas, tiendas, colegios, iglesias, casas...

Nos hemos puesto una venda en los ojos que nos impide ver el potencial que tenemos innato. Nuestro instinto de supervivencia nos puede ayudar a encontrar lo que hemos perdido en el camino y enseñarnos de nuevo lo que hemos olvidado. Juntos somos más fuertes y de la voluntad de cada uno depende crear un futuro resistente, en el cual nuestros niños puedan desarrollarse en un contexto sano y humano."

PAM WARHURST CBE

FOUNDER, INCREDIBLE EDIBLE *FUNDADORA, COMESTIBLES INCREIBLES*

Si quiere usar las etiquetas en sus actividades, o si quiere saber más de COMESTIBLES INCREIBLES en España, visite
www.comestibles-increibles.com

If you would like to use these lables for your own activities or know more about INCREDIBLE EDIBLE in the UK, visit
www.incredible-edible.org

INGREDIENTES ESPECIALES

Harinas y sus usos

- ***Harina de garbanzos -*** *frituras como bhajis y faláfel, salsas como bechamel, hamburguesas*
- ***Harina de arroz -*** *frituras como tinas y sushi frito, hamburguesas, salsas*
- ***Harina de sarraceno (alforfón) -*** *blinis, crêpes y pasteles*
- ***Harina de maíz -*** *frituras como bolitas de maíz*

Azúcares y sales

- ***Jarabes y concentrados de fruta -*** *arce, agave, manzana, remolacha, arroz*
- ***Tamari -*** *parecido a la salsa de soja, sin gluten (siempre verificar etiqueta)*
- ***Marmite -*** *extracto de levadura*

Grasas

- ***Aceite de oliva -*** *platos mediterráneos y latinos*
- ***Aceite de girasol -*** *platos orientales y asiáticos*
- ***Crema de coco -*** *platos asiáticos*
- ***Margarina vegetal***
- ***Tahini -*** *platos salados y pasteles*

Hierbas y especias

- ***Canela***
- ***Cardamomo -*** *entero*
- ***Cilantro -*** *en grano*
- ***Citronela***
- ***Clavos -*** *enteros*
- ***Comino -*** *en polvo y en grano*
- ***Cúrcuma***
- ***Curry***
- ***Eneldo***
- ***Especias pinchito/Marroquíes***
- ***Finas hierbas***
- ***Hinojo -*** *semillas*
- ***Hojas de laurel***
- ***Hojas de lima***
- ***Methi (fenogreco)***
- ***Mostaza -*** *amarilla y negra, en polvo y en grano*
- ***Nuez moscada***
- ***Orégano***
- ***Pimienta -*** *negra, verde en grano, de cayena, de jamaica*
- ***Pimentón -*** *dulce y picante*
- ***Romero***

SPECIAL INGREDIENTS

Flours and their uses

- Gram flour - fritters such as bhajis and falafels, sauces like bechamel, binding for mixes like hamburgers
- Harina de arroz - fritters such as tinas and sushi frito, hamburgers, sauces
- Harina de sarraceno (alforfón) - blinis, crêpes and cakes
- Harina de maíz - fritters such as corn fritters

Sugars and salts

- Syrups and fruit concentrates - maple, agave, apple, beetroot, rice
- Tamari - similar to soya sauce without gluten (but not always-check the label)
- Marmite - yeast extract

Fats

- Olive oil - Mediterranean and Latin dishes
- Sunflower oil - Asian and Oriental dishes
- Creamed coconut - Asian and West Indian dishes
- Vegetable margarine
- Tahini - both savoury and sweet dishes

Herbs and spices

- Cinnamon
- Cardamom - whole
- Coriander - seeds
- Lemongrass
- Cloves - whole
- Cumin - milled and seeds
- Haldi
- Curry
- Dill
- Pinchito/Moroccan spice
- Mixed herbs
- Fennel - seeds
- Bay leaves
- Lime leaves
- Methi (fenugreek)
- Mustard - yellow and black, milled and seeds
- Nutmeg
- Oregano
- Pepper - black, green, Cayenne and Jamiacan
- Paprika - sweet and fiery
- Rosemary

BATERÍA de COCINA

Las manos son el utensilio de cocina más útil que hay, ¡siempre que se mantengan limpias!

- ***Guantes de silicona*** **-** *imprescindibles para manejar alimentos calientes, bandejas de horno, ollas, tapaderas... Son MUY fáciles de limpiar*

- ***Un vaso medidor de 500ml***

- ***Cucharadita*** *(cdita)* **-** *5ml*

- ***Cuchara*** *(cda)* **-** *150ml*

- ***Moldes de silicona*** **-** *la silicona* ***no*** *es un derivado de la industria petroquímica, sino que procede del mismo mineral que el vidrio: el silicio. Los utensilios de cocina 100% de silicona se les reconoce por ser duraderos, antiadherentes, no tóxicos y no conductores del calor. Hay que evitar la silicona laminada que pronto se separa de la base y puede desprender contenidos tóxicos. Para reconocer un producto laminado, sólo hace falta doblar el material y si ve una banda blanca significa que* ***no*** *es 100% silicona*

- ***Rallador*** **-** *para el ajo, cáscara de cítricos, jengibre, zanahoria...*

- ***Tres cuchillos*** **-** *de sierra (para tomates y berenjenas); cuchillo cebollero (para picar); y la puntilla (el pequeño de la familia, para pelar)*

- ***Ollas*** **-** *realmente es posible hacerlo todo con una sola olla... tendría que ser una sartén honda y antiadherente. Si no tiene tapadera, una de silicona será perfecta. Abastézcase de una sartén de calidad, para que no se deforme y pierda contacto con el calor*

- ***Bandejas de horno*** **-** *usar un salvabandejas de silicona facilitará la limpieza de las bandejas gracias a su antiadherencia y prevendrá que se queme lo cocinado*

- ***Una batidora***

EQUIPMENT

The most valuable equipment the cook has in the kitchen is a pair of hands. Wash them frequently and use them freely...

- **Silicone gloves -** to handle hot items, including food. Easy to wash
- **500ml measure**
- **Teaspoon** (tsp) **-** 5ml
- **Tablespoon** (Tbl) **-** 150ml
- **Silicone moulds -** silicone is frequently and wrongly believed to be a derivative of the petrochemical industry. It is in fact made from silica, common beach sand, as is used in making glass. It is durable, non-stick and completely non-toxic. Watch out for silicone laminates. Double any silicone cookware in your hand and if a white stripe can be seen it is laminated. Laminated silicone products soon separate from the base which may be of inferior materials
- **Grater -** for garlic, citrus zest, ginger, carrots and so forth
- **Three knives -** serrated for tomatoes and aubergines for examples, chopping knife and small paring knife
- **Pans -** it is actually possible to get away with having only one pan...it needs to be a frying pan and needs to be deep. Get non-stick, and if there is no lid, a silicone lid will be perfect. Try not to buy cheap ones, they warp and contact with the heat source is lost
- **Oven trays -** a silicone oven tray liner saves hugely on the washing up, the scraping and the scouring
- **A stick blender -** ideal for 'whizzing'

TRUCOS Y ...

La pimienta negra potencia el sabor de la fruta.

Para pelar plátanos se necesita mucho más tiempo del que se piensa.

El secreto de una buena salsa está en no añadir agua. Deje que las verduras hagan su trabajo y aporten sus jugos naturales. La sal ayuda, e incluso con un poco de azúcar asegura que las verduras cuezan más rápido.

Al hacer migas, si hay demasiados grumos, simplemente deje que se enfríen y luego desmenúcelas con la mano.

Amase granadas en una superficie. Pártalas por la mitad. Mantenga cada parte boca abajo y golpéelas con un rodillo o la culata de un cuchillo. De este modo saltan los granos, ¡así de simple!

Las berenjenas se mantendrán tiernas, con un sabor sensual, si se cocinan lentamente.

Las piñas ya no son como antes. Ahora se puede comer casi toda la fruta ya que los puntos negros apenas penetran y el núcleo es muy suave.

Salar las patatas una hora antes de freírlas hace que pierdan gran parte de su líquido. Son más rápidas de cocinar y saben mejor.

La harina de garbanzos es un ingrediente ingenioso. Si se mezcla con agua hasta conseguir la consistencia de huevos, se puede usar como tal.

Es un desastre no perforar la piel de la morcilla con una aguja antes de hervirla. El cordón se desliza y la masa se sale en el agua hirviendo...

Hacer samosas con tortillas de maíz es imposible si no se calientan las tortillas primero para que sean flexibles. Para ello hay que ponerlas en una superficie completamente precalentada y sin grasa para que no se sequen ni se tuesten.

En los platos calientes que llevan espinacas, el truco está en añadirlas crudas y al final, para que mantengan su volumen y conserven sus vitaminas. El propio calor del plato las deja en su punto.

¡Ojo! La sal retarda el proceso de cocción de las legumbres. Es mejor añadirla al final.

...CONSEJOS

La combinación de cereales y legumbres crea una cadena de aminoácidos y, por tanto, aporta una proteína completa. Por ejemplo, la receta Tostadas (38) de este libro es una comida entera en sí por el hecho de llevar legumbres y cereales.

Si sólo se desea usar la mitad de un aguacate, enjuague la mitad a guardar con agua fría y no se oxidará.

En una ensalada de champiñones crudos es aconsejable aliñar con aceite en primer lugar. De este modo se protegen de ser "quemados" por el vinagre y no pierden ni volumen ni sabor.

El truco para limpiar un microondas es meter a hervir un recipiente con agua y un trozo de limón. El vapor ablanda la suciedad y el limón elimina olores.

Los faláfel quedan más jugosos si se añade abundante perejil.

El hecho de mojarse las manos facilita la formación de frituras y albóndigas porque evita que se pegue la masa a las manos.

La soja quemada (carne de soja texturizada, leche de soja...) tiene un sabor horrible. Si se quema hay que empezar de nuevo.

Al pasar los alimentos de una tabla de cortar a un recipiente, no se debe de raspar la tabla con la parte afilada del cuchillo, sino con la parte posterior. Tampoco es aconsejable introducir los chuchillos en el lavavajillas. Así se mantendrán más afilados durante más tiempo.

El arroz puede generar un microorganismo llamado bacillus cereus*, inodoro, que puede resultar fatal. Para evitarlo, es muy importante conservar el arroz entre 5°C y 8°C.*

Rallar el ajo y el jengibre es más rápido que cortarlos.

Para evitar el olor de ajo en las manos deje correr el agua por las manos en vez de frotarse. ¡Milagroso!

Remojar el ajo en agua hace que la cáscara se elimine con facilidad.

Si un paquete de azúcar se endurece, la solución es dejar una manzana dentro durante unos días.

Todos los habitantes que viven cerca del mar saben que poner unos granos de arroz en el salero mantiene seca la sal.

TIPS & ...

Black pepper brings out the flavour of fruit.

When using gram flour to make a batter, keep the batter stiff.

It takes a lot longer to peel bananas than you think.

The secret of any good sauce is NO WATER, just let the vegetables do the work and sweat out their natural juices. Salt helps, and even a little sugar too will ensure that vegetables quickly become a liquid pulp.

When making migas, if it clags into a solid lump just leave it to cool. Then crumb it by hand.

Roll pomegranates on a surface. Cut in half. Hold each half face down and whack it with the knife butt or a rolling pin. Out pop the pips, just like that!

Aubergines will retain their subtle, almost sultry flavour if they are cooked slowly.

Pineapples are not made like they used to be. There is little waste. The 'eyes' hardly penetrate into the fruit and the core is so soft you can often eat it too.

Salt potatoes an hour before frying. They lose much of their liquid, fry faster and taste better.

Gram flour is a clever ingredient, if you mix it to the consistency of eggs you can use it more or less just like eggs!

It is a disaster if you don't pierce the skins of morcilla with a needle before you steam them. The string just slides off the end and all the filling wastes itself into the boiling water...

Making samosas with corn tortillas is only a challenge if you don't heat them first to make them pliable. Make sure you put them on a fully pre-heated surface so they are on and off in no time and do not have a chance to get dried out and hard.

Leave spinach raw to be wilted by the hot ingredients. It retains more of its bulk and almost all of the vitamins.

Salt retards the cooking process for pulses.

... TRICKS

Eating grains and pulses together completes an amino acid chain and thus results in a complete protein...

...as such, the tostadas in this book are a meal in your hand.

If you only want to use half an avocado, rinse the half you are keeping in cold water before refrigerating. It will not go brown.

Be sure to put the oil on the mushrooms in a mushroom salad first. It protects the mushrooms from being 'burned' by the vinegar and all the flavour seeping out into the dressing at the bottom of the bowl.

Cleaning a microwave is easy if you put a bowl of water in to boil. Steam loosens most grime.

If you want your falafels to be less dry, add more parsley.

Any batter or wet mix that you have to handle into an oven dish or a fryer will not stick if your hands are wet.

Don't burn soya mince or soya milk. It tastes horrible. If you do, start over.

Scrape the chopping board with the back of the knife. The blade will stay sharper longer.

Rice can breed a fatal micro-organism called *cereus bacillus.* Cooked rice must be maintained at a temperature between 5°C - 8°C. Extreme care is needed.

Grate garlic and ginger instead of chopping them. It is faster and the pieces are more uniform.

Soak garlic in water. The peel comes away easily.

To get rid of the smell of garlic on hands, run them under the tap WITHOUT rubbing them together.

If sugar goes hard and lumpy, just leave an apple or an orange in it for a few days.

All sea-side dwellers know to keep a few grains of rice in the salt shaker. It keeps the salt dry.

LA TIENDA ONLINE

Desde que El Piano se encuentra en más de un país, somos conscientes de que algunas cosas son difíciles de encontrar, dependiendo de donde usted viva. Verifique en la TIENDA ONLINE si tiene dificultades para adquirir algunos productos, tales como crema de coco, habas fritas u hojas de lima.

Eche un vistazo a nuestros KITS, con los cuales puede hacer los pasteles y platos salados de El Piano en casa. Sólo tiene que seguir las instrucciones en la etiqueta.

También ofrecemos una amplia gama de utensilios de cocina hechos de silicona. Los utilizamos a diario en la cocina de El Piano y podemos dar fe de su calidad.

Nuestros libros de cocina también están disponibles en la TIENDA ONLINE, así como toda la gama de etiquetas del proyecto COMESTIBLES INCREIBLES.

THE ONLINE SHOP

Since El Piano is in more than one country we are aware that some things are hard to find depending on where you live. Check out the ONLINE SHOP if you are looking for things like creamed coconut, toasted broad beans or lime leaves.

Our KITS are easy-to-make cakes and savouries. Just follow the directions on the packet to have the flavours of El Piano at home.

We stock a range of silicone cookware, all of which we use daily in the El Piano kitchens so we can vouch for its quality.

Our cookbooks are also available in the ONLINE SHOP as well as the entire range of labels for the INCREDIBLE EDIBLE project.

Más libros de cocina...
more of our cookbooks...
HAND TO MOUTH
NO ORDINARY COOKBOOK
foreword by Hugh Bayley MP
HAND in HAND
An extraordinary COOKBOOK!!!
Sally Mowbray
Rosey Hill
Katie Ireland
...disponibles en la tienda online
...available from the online shop

EL TOQUE FINAL

postres, sopas, y salsas de el piano

el piano's sweets, soups & sauces

THE FINAL TOUCH

otro LIBRO DE COCINA vegano y sin gluten de El Piano • another vegan AND gluten-free cookbook from El Piano

Magdalena Chávez &

FLORENCE MILLETT SIKKING

Mayra Marín Salazar

Elisa Morales

SALLY MARSHALL

Francesca Yeeles

www.el-pia

·PROXIMAMENTE!

comin' soon! **(2010)**

la visión - the vision

En El Piano queremos crear una unión invisible entre el trabajo y la sostenibilidad, integrando la sostenibilidad del planeta con la vida privada, a través de un modelo de negocio independiente, rentable, divertido y transferible.

Lo queremos lograr de cinco maneras principales:

- ***Vendiendo comida sin gluten y vegana a un precio razonable, pero con un alto rendimiento***
- ***Asegurando a nuestros empleados unas condiciones flexibles para facilitar la vida familiar***
- ***Apoyando a trabajadores que desean desarrollar su propio El Piano***
- ***Ahorrando energía mediante el uso de productos biodegradables, materiales reciclados, fuentes de calor multifuncionales, compartiendo vehículos, etc***
- ***Utilizando productos locales y ecológicos siempre que sea posible, y cultivando nuestros propios ingredientes***

Si quiere saber más sobre quienes somos y lo que hacemos, visite la página web
www.el-piano.com
o contáctenos
info@el-piano.com

At El Piano we try to create a seamless union between work and sustainability, through a focus on food, achieved through an independent, profitable, fun and transferable business model whose core principles are founded on the sustainability of the planet and the sustainability of one's private life.

We work toward achieving this in five principle ways:

- **Selling gluten free and vegan foods that are reasonably priced yet highly profitable**
- **Ensuring flexible working conditions to accommodate family life**
- **Supporting staff wishing to develop their own El Piano**
- **Conserving energy through use of biodegradable and recycled materials, multi-functional heat sources, shared vehicles and so forth**
- **Using local and organic produce wherever possible, as well as growing our own**

If you would like to know more about who we are and what we do, have a look at
www.el-piano.com
or contact us
info@el-piano.com